少林武术精粹系列丛书

少林剑术（一）

德虔　德炎　编著

北京体育大学出版社

责任编辑：孙运娟
责任校对：韩培付
版式设计：李　鹤

图书在版编目（CIP）数据

少林剑术. 一 / 德虔, 德炎编著. -- 北京 : 北京体育大学出版社, 2022.1
（少林武术精粹系列丛书）
ISBN 978-7-5644-3588-2

Ⅰ. ①少… Ⅱ. ①德… ②德… Ⅲ. ①少林武术 - 剑术(武术) - 套路(武术) Ⅳ. ①G852.24

中国版本图书馆CIP数据核字(2022)第007635号

少林剑术（一）
SHAOLIN JIANSHU(YI)
德虔　德炎　编著

出版发行：北京体育大学出版社
地　　址：北京海淀区农大南路1号院2号楼2层办公B-212
邮　　编：100084
网　　址：http://cbs.bsu.edu.cn
发 行 部：010-62989320
邮 购 部：北京体育大学出版社读者服务部 010-62989432
印　　刷：北京昌联印刷有限公司
开　　本：880mm × 1230mm　　1/32
成品尺寸：148mm × 210mm
印　　张：2.25
字　　数：44千字
版　　次：2022年1月第1版
印　　次：2022年1月第1次印刷
定　　价：13.80元

（本书如有印装质量问题，请与出版社联系调换）

前 言

武术作为中国的国粹，是中华民族传统文化的组成部分。家喻户晓的少林武术便是其中极具代表性的门类，是中国武术的重要象征。

我社与少林武术结缘已久，伴随着时光的流逝，有多种内容、多样组合、各种形式的载有少林武术的出版物，源源不断地从我社注入市场，为方兴未艾的少林武术热潮平添了更高的热度。可以说，少林武术图书一直与我社相伴相随，成为我社具有长期出版价值的图书门类。其中，少林武术图书的编纂者——已故的王长青（法号释德虔）先生功不可没。他经年累月锲而不舍，寻于寺院、觅于乡间，挖掘出大量尘封的少林武术资料，继而分门别类梳理、整饬成一册册书稿，并与我社携手努力，打造出独树一帜的武术图书板块，为我社的武术图书出版打开了新局面。

今天，在着力弘扬中华优秀传统文化，树立和增强文化自信的大背景下，我社将以往出版的少林武术书籍重新进行了编排，以全新的面貌推出“少林武术精粹系列丛书”，这是我社多年来少林武术出版情结的延续，是对积累和沉淀的少林武术资源的再一次整合与展示，更紧密契合了时代的要求。

通过这套书，读者可以研习刚柔相济、闪转腾挪的少林功夫，可以感悟其中凝结的中华智慧，可以领略武术文化的博大精深……这便是我社对这套书出版价值的期待。

目　录

少林达摩剑

动作名称

预备势

1.童子拜佛

2.怀中抱月

3.回头望月

4.燕子钻帘

5.二龙戏珠

6.枯树盘根

7.鹞子翻身

8.横江飞渡

9.二郎担山

10.绞肠杀

11.凤凰点头

12.二马分鬃

13.夜叉探海

14.仙人指路

15.定阳针

16.鹞子钻林

17.火神分金

18.枯树盘根

19.火神分金

20.金鸡独立

21.仙人指路

22.狮子张口

23.仙人指路

24.野马分鬃

25.金鸡独立

26.紫燕钻帘

27.恶虎扑食

28.枯树盘根

29.二马分鬃

30.浮土挹袖

31.枯树盘根

32.朝天一炷香

33.搲花斜刺

34.二龙出海

35.紫燕斜飞

36.声东击西

37.白猿探果

38.大鹏展翅

39.夜叉探海

40.燕子钻帘

41.仙人指路

42.童子拜佛

43.还原归真

收　势

动作图解

预备势

两脚并立，身体挺直，两臂下垂，左手握剑，剑体背于左臂后，剑尖向上（图1）；同时右手抱拳，放于腰间，头向左摆（图2）。

图 1

图 2

1.童子拜佛

抬右脚移于左脚前外侧，两腿成叉步，同时左手握剑向后抬臂藏剑，剑尖向左，右拳变掌，掌指向上，两腿全蹲成歇步，目视前方。（图3）

2.怀中抱月

起身，右腿提膝，同时左手持剑由后向前屈肘停剑，右手剑指由内向外再向内，然后右臂屈肘，剑指护于左手剑把上。（图4）

接上动作，左脚不动，右腿提膝不变，右手剑指护于左手剑把之下。（图5）

图 3

图 4

图 5

3.回头望月

右脚向右落一步，身体右转90度，右腿屈膝，两腿成右弓步，左手持剑随身向后展臂竖剑，右手剑指向前，举臂亮指，目视左侧。（图6）

图 6

4.燕子钻帘

以两脚为轴，身体左转90度，收左脚提膝，同时左手持剑随身势后抽，剑体护于左膝之上，剑尖向前，右臂向内屈肘，右手扶握剑把。（图7）

接上动作，左脚向前落地，两腿成左弓步，同时右手握剑向前

直刺，左手举臂架掌，目视剑尖。（图8）

图 7

图 8

5.二龙戏珠

抬右脚向后屈足，右手持剑由内向外挽花，然后向前上方直刺，左臂向后屈肘，左手剑指贴于背，目视剑尖。（图9）

接上动作，右脚下落于左脚稍后右侧，震脚，抬左脚向前上一步，两腿成左弓步，同时右手持剑向前直刺，左臂向内屈肘，左手剑指护于右肩前，目视剑尖。（图10）

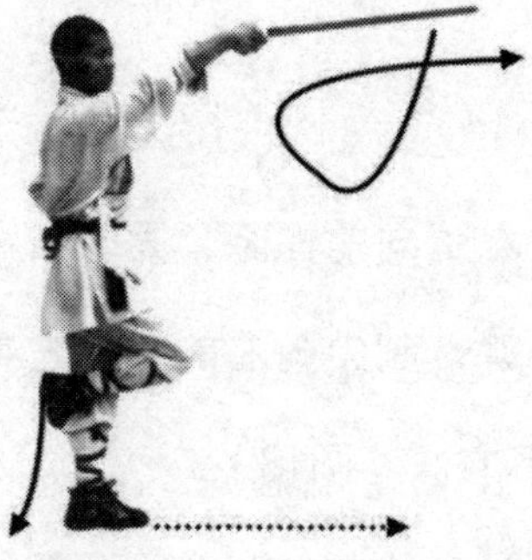

图 9

图 10

6.枯树盘根

以两脚为轴，身体左转90度，两腿成叉步，然后两腿全蹲成歇步，同时右手持剑由右向后往上绕头云旋，然后左手剑指护扶右手握剑下沉，剑竖于腹左侧，目视前方。（图11）

7.鹞子翻身

以两脚为轴，身体右转180度，两腿屈膝成马步，同时右手持剑随身势向右侧横臂，剑尖向右，左手剑指向左侧展臂亮指，目视剑尖。（图12）

图 11

图 12

8.横江飞渡

以右脚为轴，身体右转90度，抬左腿向前提膝，同时右手持剑翻腕由右向左旋剑，然后由下向上举臂，剑尖向左前方，左臂向内屈肘，左手剑指护于右腋前，目视左下方。（图13）

接上动作，左脚下落于左侧一步，身体左转90度，两腿成左弓

步，同时右手持剑由上向前下方斜劈，左手剑指举臂上架于头上前方，目视剑尖。（图14）

图 13

图 14

9.二郎担山

以两脚为轴，身体右转90度，左腿提膝，同时右手持剑随身由上向右下方点刺。（图15）

接上动作，左脚下落于左侧一步，两腿成马步，同时右手持剑翻腕抖剑，剑尖向右，左手剑指向左侧展劈亮指，目视剑尖。（图16）

图 15

图 16

10.绞肠杀

右脚后退一步，移于左脚后外侧，两腿成叉步，同时右手持剑向内翻腕绞剑，左手剑指不变，目视剑尖。（图17）

接上动作，左脚向右后方退一步，两腿成右弓步，同时右手持剑向内翻腕绞剑。（图18）

接上动作，右脚向后退一步，两腿成叉步，同时右手持剑向内翻腕绞剑。（图19）

接上动作，左脚向后退一步，落于右脚后，两腿成右弓步，同时右手持剑向内翻腕绞剑，目视剑尖。（图20）

图 17

图 18

图 19

图 20

11.凤凰点头

两脚不动，右弓步不变，右手持剑向下点剑，左臂向内屈肘，左手剑指护于右腿前，目视剑尖。（图21）

12.二马分鬃

以两腿为轴，身体左转180度，两腿成左弓步，同时左臂向前屈肘抖指，右手持剑向后抖臂竖剑，目视左手剑指。（图22）

图 21

图 22

13.夜叉探海

右脚向后移于左脚后外侧，两腿成叉步，同时右手持剑由右向下往左穿，左臂向内屈肘，左手剑指护于右手剑把上，目视左侧。（图23）

接上动作，以两脚为轴，身体右转180度，左腿提膝，同时右手持剑随身由上向右前下方刺，左手剑指向上，举臂架掌，目视剑尖。（图24）

图 23

图 24

14.仙人指路

左脚向左落一步，身体左转90度，同时右手持剑由后向前穿剑，剑锋向上，左手剑指护于右手腕部，目视前方。（图25）

接上动作，右手持剑由内向外挽花，然后抬两脚向前跳一步，左脚落于右脚前，两腿成左弓步，同时右手持剑向前直刺，左手剑指护于右手腕部，目视剑尖。（图26）

图 25

图 26

15.定阳针

右脚不动，左腿提膝，同时右手持剑由前向后抽，然后右臂屈肘亮剑，斜竖于胸前，剑尖斜向下，左手剑指向左撩出，目视剑指。（图27）

16.鹞子钻林

左脚向前落一步，抬右脚向前上一步，身体左转90度，抬左腿向后上踢，同时右手持剑向右劈，左手剑指举臂上架于头上左侧，目视剑尖。（图28）

图 27

图 28

接上动作，左脚向右后方落一步，身体左转90度，两腿成右弓步，同时右手持剑随身由上向前下方斜劈，左臂向上举，左手剑指架于头上前方，目视剑尖。（图29）

图 29

17.火神分金

以两脚为轴，身体左转180度，右脚向前上半步，两腿成拖步，同时右手持剑抖臂下沉，剑尖向后向下，左臂屈肘，左手剑指亮于胸前，目视前方。（图30）

接上动作，两腿微蹲成左虚步，同时右手持剑由后向前挽花，然后抖肘上挑，左手剑指护于右手剑把上，目视前方。（图31）

图 30

图 31

18.枯树盘根

右脚向前上步，落于左脚前，身体右转90度，两腿成叉步，然后两腿全蹲成歇步，同时右手持剑随身向右侧横刺，左手剑指向左侧展臂摆出，目视剑尖。（图32）

19.火神分金

起身，抬左脚向左跨一步，身体左转90度，两腿微蹲，成左虚步，同时右手持剑先在身前挽花，然后翻把挑剑，左手剑指护于右手剑把上，目视剑尖。（图33）

图 32

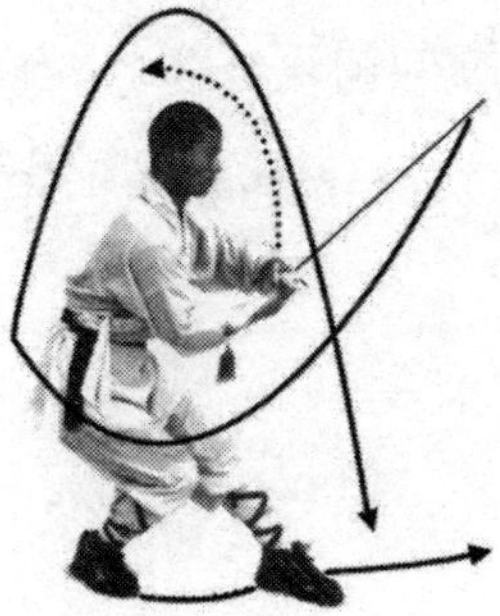

图 33

20.金鸡独立

抬右脚向前上一步，身体右转90度，两腿成叉步，同时右手持剑向下挽花，然后由上向下劈剑，再由下向上抡劈一周，架肘下沉，剑体倒立胸前，左手剑指上架于头上前方。（图34）

右脚不动，身体左转90度，抬左腿向前提膝，同时右手持剑向

上翻腕端剑，使剑尖斜向前，左手剑指护于剑把上。（图35）

图 34

图 35

21.仙人指路

左腿向前落一步，两腿成左弓步，同时右手持剑抽把立剑，剑尖向上，再向前直刺，左手剑指护于右肩前，目视剑尖。（图36）

图 36

22.狮子张口

抬右脚向前上一步，身体右转90度，两腿成叉步，同时右手

持剑抽把立剑，剑尖向上，左手剑指护于右手剑把上，目视左侧。（图37）

以两脚为轴，向右转体90度，左腿提膝，右手持剑随转身向上撩，剑尖向前上方，左手剑指架于头上。（图38）

图 37　　图 38

23.仙人指路

左脚下落于右脚前，再上右脚落在左脚前，脚尖翘起，两腿微蹲，同时右手持剑向后抽把，再向前抖腕竖剑，左手剑指护于右手腕上。（图39）

接上动作，抬左脚向前上一步，两腿成左弓步，同时右手持剑向内再向外挽花，然后向前直刺，左臂向内屈肘，左手剑指护于右腋前。（图40）

图 39

图 40

24.野马分鬃

左脚不动，右腿提膝，脚掌向后，同时右手持剑与左手剑指向两侧展臂分开，剑尖向前，目视剑尖。（图41）

图 41

25.金鸡独立

右脚向前落一步，左腿提膝，同时右手持剑与左手剑指由外向内运行，两手心向上。（图42）

接上动作，左脚向前落一步，抬右腿向前提膝，同时右手持剑

向后缩肘，剑端于腰间，左手剑指上架于头上前方。（图43）

图 42

图 43

26.紫燕钻帘

右脚向前落一步，两腿成右弓步，同时右手持剑向前直刺，剑尖向前，左手剑指上架于头上前方，目视剑尖。（图44）

27.恶虎扑食

右脚后退一步，身体右转90度，两腿成右仆步，右手持剑由上向右直臂抽剑，然后由右向上向下再由左向右穿剑，左手剑指向左甩臂亮指，目视剑锋。（图45）

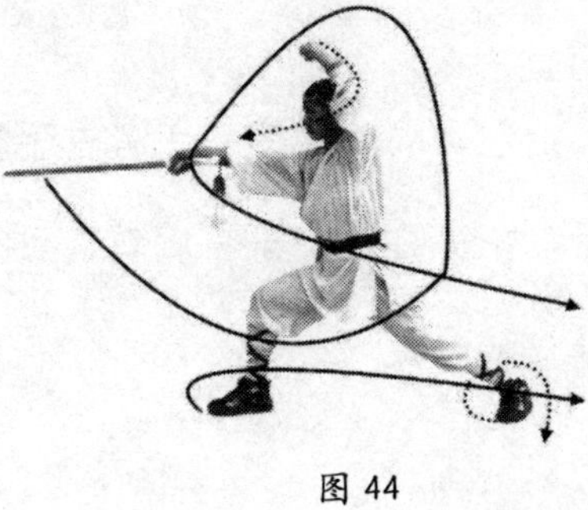

图 44

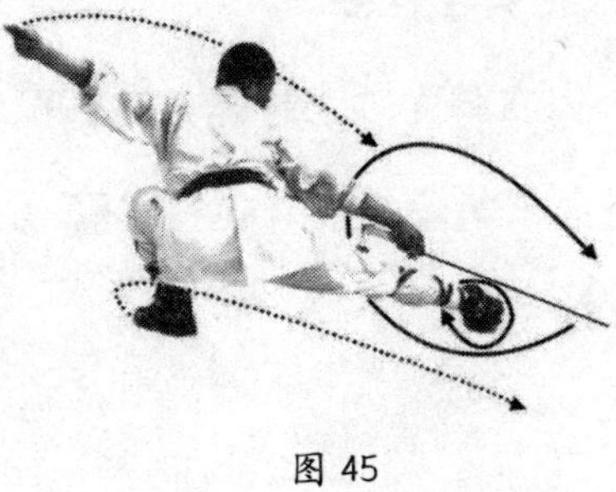

图 45

28.枯树盘根

以两脚为轴，身体右转180度，两腿全蹲成歇步，同时右手持剑随身掤肘托剑于胸前，剑尖向下，左臂屈肘，左手剑指护于右腋前，目视左侧。（图46）

29.二马分鬃

左脚向左跨一步，身体左转90度，抬右脚向前上一步，两腿成马步，同时右手持剑向内挽花，然后向右侧刺剑，左手剑指由下向上再向外掤肘亮指，掌心向前，目视剑尖。（图47）

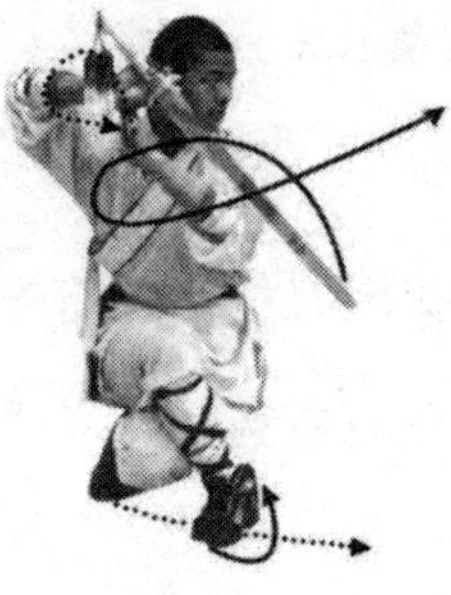

图 46

图 47

30.浮土挹袖

以右脚为轴，身体左转90度，抬左脚向前弹踢，同时右手持剑翻腕向前斜劈，左臂向右屈肘,左手剑指亮指，护于右肩前，目视剑尖。（图48）

31.枯树盘根

左脚下落于右脚后，两腿成叉步，然后全蹲成歇步，同时右手持剑随身架肘抽把抖剑，左手剑指向左侧展臂亮指，拇指一侧向上，目视左侧。（图49）

图 48

图 49

32.朝天一炷香

起身，右脚向右跨半步，同时右手持剑由后向前挽花，然后翻腕撩剑，左臂屈肘，左手剑指护于右肩前，目视前方。（图50）

接上动作，左腿提膝，同时右手持剑抖沉，然后直臂向上戳剑，左手剑指掤肘沉指，剑指护于左大腿上，目视左侧。（图51）

图 50

图 51

33.挽花斜刺

左脚下落于右脚前，右手持剑向后沉平，剑把朝前，左臂屈肘，左手剑指护于左腰间，拇指一侧向内，目视前方。（图52）

接上动作，两脚不动，右手持剑由后向前再由内向外挽花，然后抬两脚向前跳半步，两脚落地后成并步再半蹲，同时右手持剑由上向前下方斜刺，左臂屈肘，左手剑指护于右肘上，目视剑尖。（图53）

图 52

图 53

34.二龙出海

抬右脚向右横上半步，右手持剑翻把，再抬左脚向右移步，与右脚并步，两腿微蹲，同时右手持剑向外挽花，然后掤肘背剑，剑体稍高于肩，剑尖向后，左臂向内屈肘，左手剑指护于右肩前，目视前方。（图54）

接上动作，抬两脚向左横跳半步，两脚落地后成并步，两腿微蹲，同时右手持剑向外挽花，然后掤肘背剑，剑体稍高于肩，左手剑指不变，目视剑把。（图55）

图 54

图 55

接上动作，右脚向后退一步，两腿成左弓步，同时右手持剑向前挽半花，然后向前撩剑，左手剑指护于右肘内侧，目视剑尖。（图56）

图 56

35.紫燕斜飞

抬右脚向前一步，两腿成右弓步，同时右手持剑由外向内旋腕挽剑，剑尖斜向上，左手剑指向左，垂臂沉指，目视剑尖。（图57）

36.声东击西

以两脚为轴，身体左转180度，收左脚后退半步，两腿成拖步，同时左手剑指向前推出，掌心向前，右手持剑随身抽把下劈，目视剑指。（图58）

图 57

图 58

37.白猿探果

抬右脚向前上半步，与左脚成并步，两腿屈膝半蹲，同时右手持剑由后向前点剑，左臂屈肘，左手剑指护于右前臂内侧，目视剑尖。（图59）

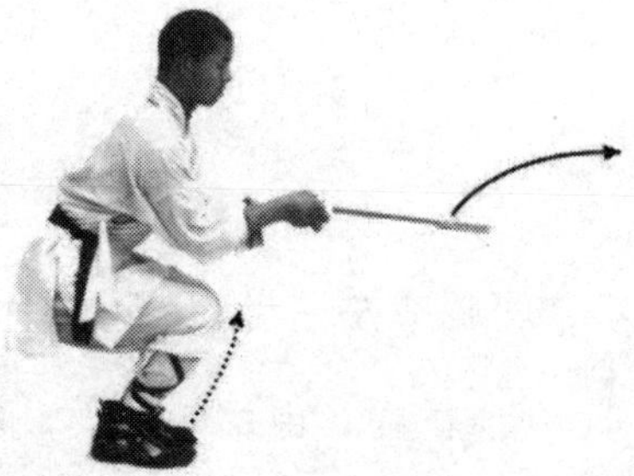

图 59

38.大鹏展翅

抬左腿向前提膝，同时右手持剑向前，并抬肘升剑，左手剑指护于右前臂内侧，目视剑尖。（图60）

接上动作，右腿支撑，左腿向后向上伸翘，脚面绷平，同时右手持剑与左手剑指由内向两侧展臂伸平，剑锋、剑指向前，目视前方。（图61）

图 60

图 61

39.夜叉探海

左脚向前落一步，两腿成左弓步，同时右手持剑由右上方向左劈剑，然后屈肘抱剑，剑尖向左，目视前方。（图62）

接上动作，右脚向前上一步，再抬左脚移于右脚后外侧一步，两腿成叉步，同时右手持剑由下向上在头上挽花，然后由上向右侧下方撩剑，左手剑指掤肘亮指，上体向左侧倾斜，目视剑尖。（图63）

图 62

图 63

40.燕子钻帘

以两脚为轴，身体左转270度，两腿成左弓步，同时右手持剑随身由上向前下方劈剑，左手剑指举臂亮指，目视剑尖。（图64）

41.仙人指路

抬右脚向前上半步，身体右转180度，再抬左脚向前上步，两腿成左弓步，同时右手持剑随身由上向前方点刺，左臂屈肘，左手剑指护于右肩前，目视剑尖。（图65）

图 64

图 65

42.童子拜佛

以两脚为轴，身体右转180度，两腿成叉步，同时右手持剑向右劈，然后向左撩剑，剑锋向上，左手剑指护于右手腕上，目视前方。（图66）

接上动作，两腿全蹲成歇步，同时右手持剑由上向下沉把竖剑，左手剑指护于剑把，使剑体竖立胸前，剑锋向上。（图67）

图 66

图 67

43.还原归真

起身，右脚向右跨一步，右手向左上方抛剑，左手快速接剑，目视左手。（图68）

接上动作，收左脚与右脚成并步，同时左手持剑翻把向后背剑，右手立掌，屈肘亮于胸前，目视前方。（图69）

图 68

图 69

收　势

左手持剑由后向前，右手由上向下，同时垂臂，左手握剑背于左臂后，右掌附于大腿外侧，身体挺直，目视前方。（图70）

图 70

少林稠公剑

动作名称

预备势

1.露台观风

2.霸王举鼎

3.黑虎偷心

4.鱼跳龙门

5.反身劈剑

6.乌龙折腰

7.织女观星

8.鸿雁南飞

9.老僧上香

10.刘备过江

11.猴探仙果

12.转身斩妖

13.鹞子翻身

14.力劈华山

15.仙人指路

16.魁星抱斗

17.拨云牵月

18.力劈华山

19.老鹰扑鸡

20.毒箭穿心

21.仙女散花

22.转身抹项

23.霸王举旗

收　势

动作图解

预备势

两脚并立成八字，两臂下垂，然后左手握剑背于臂后，剑锋向上，右手成剑指，附于大腿外侧，身体挺直，目视前方。（图1）

1.露台观风

左脚上前一步，右脚上前半步，成右虚步，同时左臂向外向上画弧一周，斜臂下垂，剑背臂后，剑锋向上，右手剑指由下向外向上画弧，上架于头上右侧，拇指一侧向上，目视左侧。（图2）

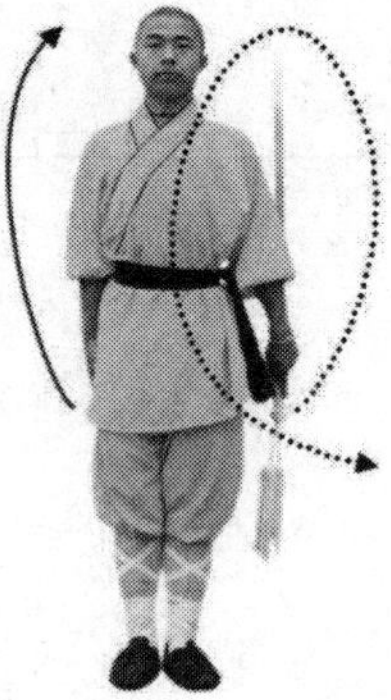

图 1

图 2

2.霸王举鼎

左脚不动，右脚移于左脚外侧一步，两腿成叉步，同时两臂由外向上，右手接握剑柄。（图3）

3.黑虎偷心

抬两脚向前跳一步，左脚落于右脚前，两腿成左弓步，同时左

手脱把，右手握剑向前直击，剑锋向前，左手向前护于右臂内侧，拇指一侧向内，目视剑锋。（图4）

图 3

图 4

4.鱼跳龙门

抬两脚向前跳一步，左脚落于右脚前，两腿微蹲，成左虚步，同时右手握剑绕头云旋，然后转腕沉锋，使剑锋斜向下方，左手剑指向上架于头上右侧，拇指一侧向内，目视前方。（图5）

5.反身劈剑

接上势，左脚踏实，身体左转，向左穿剑，然后挽花向右劈剑，左手剑指由内向外展臂亮指，拇指一侧向前，目视右侧。（图6）

图 5

图 6

6.乌龙折腰

两脚不动，剑挽逆花，然后拦腰前扫，横腰向左刺，左手剑指向右，左臂屈肘亮指，拇指一侧向内，目视左侧。（图7）

7.织女观星

两脚踙地，身体左转90度，上右脚成右弓步，同时举臂云剑，在头上旋一圈，向前上云刺，左手剑指由外向内护于右手腕内侧，拇指一侧向上，目视剑锋。（图8）

图 7

图 8

8.鸿雁南飞

抬两脚向前跳一步，右脚落于左脚前一步，抬左腿向后翘起，同时右手持剑随身挽大顺花，然后向后起臂挺剑，剑锋向里斜，左手剑指前伸，拇指一侧向外，上体前倾，目视后方。（图9）

9.老僧上香

左脚落于右脚前一步，抬右脚向前上一步，成虚步，同时右手向左穿剑，然后仰腕挺剑，剑锋向上，左臂屈肘，左手剑指护于右前臂内侧，拇指一侧向里，两腿微蹲，目视前方。（图10）

图 9

图 10

10.刘备过江

抬左脚向前踮跳一步，右脚落于左脚前，两腿成右弓步，同时右手握剑于头上云旋一圈，再向前直击，剑锋向前，左手向后，起臂亮指，拇指一侧向外，目视剑锋。（图11）

11.猴探仙果

抬左脚向前上一步，两腿微蹲，成左虚步，同时剑挽逆花，回锋举臂上刺，左手剑指扶剑盘，拇指一侧向内，上体前探，目视前方。（图12）

图 11　　图 12

12.转身斩妖

右脚向前上一步，两脚踞地，身体右转90度，两腿成叉步，同时剑挽逆花，举臂后刺，左手剑指反臂上举，屈肘护于右前臂内侧，拇指一侧向下，目视后方。（图13）

13.鹞子翻身

两脚跳起，身体右转180度，落地成左仆步，同时右手持剑随身绕头上云旋一圈，然后向前下方劈剑，剑锋横向左，左手剑指护于剑柄上，目视左侧。（图14）

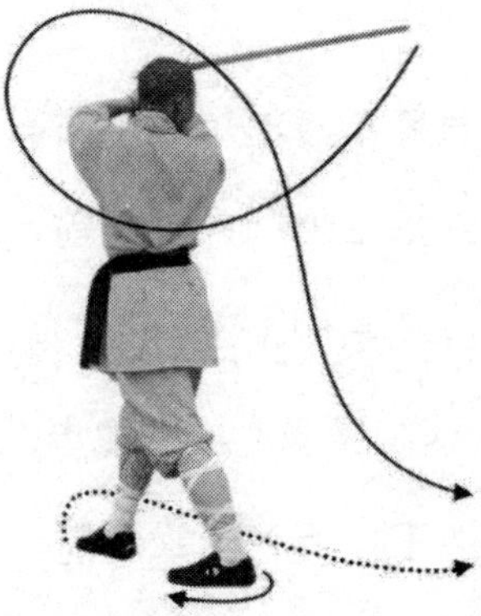

图 13

图 14

14.力劈华山

起身，两腿成左弓步，同时右手由下向上向左再往右抡剑，挽顺花，然后向前劈，左手向上亮指，目视剑锋。（图15）

15.仙人指路

右脚向前上一步，两腿半蹲，成麒麟步，同时右手持剑由前向上绕头云旋一圈，然后向前直击，左手剑指向上，架于头上左侧，拇指一侧向下，目视剑锋。（图16）

图 15

图 16

16.魁星抱斗

抬左脚向前上一步，两脚踩地，身体左转90度，同时右手持剑挽逆花，然后向左侧下方压剑，左手剑指由外向内再向前，左臂屈肘，剑指护于胸前，拇指一侧向右，目视左侧（图17）；随即抬脚向左转体90度跳步，左脚落于右脚前，两腿微蹲，成左虚步，同时右手握剑随身向右扫半圈，然后举臂上架于头上，剑锋向前，左手向前伸臂亮指，拇指一侧向内，目视前方（图18）。

图 17

图 18

17.拨云牵月

左脚踏实，抬右脚向前上一步，两脚踩地，身体左转90度，同时右手向右后方穿剑，然后回锋上撩，剑锋斜向前上方，左手剑指护于剑柄下，目视剑锋。（图19）

18.力劈华山

抬两脚向右侧横跳一步，两脚踩地，身体右转90度，两腿成右

弓步，同时右手握剑挽花，然后向前方劈剑，左手向外向上画弧，起臂亮指，目视剑锋。（图20）

图 19

图 20

19.老鹰扑鸡

左脚不动，抬右脚向左转，同时向左再向右穿剑，然后抬右脚向右迈一步，左腿屈膝，右腿伸直，成右仆步，右手持剑沉柄竖剑，剑锋向上，左手剑指随身向左后上方撩出，目视右侧。（图21）

20.毒箭穿心

起身，两脚蹍地，身体右转90度，成右弓步，同时右手持剑挽顺花，向前上方斜刺，左手由后向前再向外向上画弧，上架于头上左侧，拇指一侧向下，目视剑锋。（图22）

图 21

图 22

21.仙女散花

左脚不动，收右脚与左脚成并步，同时右手持剑挽逆花（图23）；随即左脚向左跨一步，同时逆向抡剑，然后向右侧斜展剑锋，剑锋斜向上，左手向左，起臂亮指，拇指一侧向前，目视右侧（图24）。

图 23

图 24

22.转身抹项

抬右脚移于左脚外侧一步，两脚蹍地，身体左转180度，两腿成

左弓步，同时右手向左穿剑，然后挽逆花，向前推剑，左手随身势抓握剑柄，目视剑锋。（图25）

23.霸王举旗

两脚蹍地，身体左转90度，抬右脚上前一步，同时左手接剑，随身向左抡臂，然后背剑上举，剑锋向下，右手由里向外展臂亮指，拇指一侧向前，目视剑指。（图26）

图 25

图 26

收　势

收右脚与左脚成并步，左臂由上向下画弧，右臂由前向上返下画弧，两臂同时下垂，左手握剑背于臂后，剑锋向上，右手剑指附于大腿外侧，拇指一侧向左，身体挺直，目视前方。（图27）

图 27

少林搜风剑

动作名称

预备势
1.大王招兵
2.童子拜佛
3.金鸡独立
4.横江飞渡
5.古树盘根
6.海底牵月
7.金鸡独立
8.仙人指路
9.玄德挑剑
10.退步绞剑
11.回头望月
12.左右穿剑
13.怀抱琵琶
14.侠客藏剑
15.回头望月
16.顺风追妖
17.虚步沉剑
18.织女穿梭
19.渔公拉网
20.拨云出日
21.雄狮沉尾
22.横江飞渡
23.青龙探珠
24.夜叉探海
25.转身劈剑
26.雁落沙滩
27.老龙伸腰
28.回头谴贼
29.八戒探天
30.背后藏剑
31.孙猴戏月
32.横江飞渡
33.白龙探珠
34.回头望月
35.龙潜东海
36.回头转珠
37.大鹏展翅
38.横江飞渡
39.退步绞剑
40.回头望月
41.虚步撩剑
42.剑劈四门
43.转身撩剑
44.左右撩剑
45.织女穿梭
46.跳步撩剑
47.力劈华山
48.小猴牵月
49.顽童斗蛇
50.盘龙卧虎
51.小鬼甩扇
52.夜叉探海
53.转身交剑
收　势

动作图解

预备势

两脚并步成八字，身体挺直，左手握剑，背于臂后，右手成掌，附于右大腿外侧，目视前方。（图1）

1.大王招兵

两脚不动，右掌由外向内画弧，然后向右侧摆剑指，拇指一侧向前，剑指向右，目视右侧。（图2）

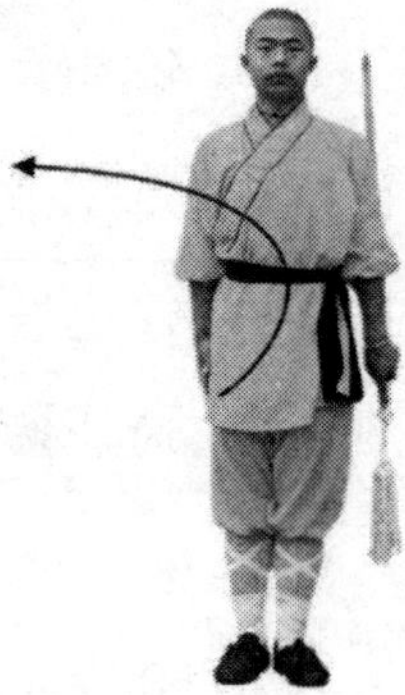
图 1

图 2

2.童子拜佛

右脚不动，抬左脚向前上半步，左腿屈膝半蹲，右腿半跪，同时右手由下画弧到胸前，屈肘亮指，拇指一侧向左，剑指向上，目视前方（图3）；左脚不动，抬右脚向右跨一步，成右弓步，同时右手剑指向上架于头上前方，拇指一侧向前，左手持剑由外向上画弧，剑背臂后，目视前方（图4）；抬左脚移于右脚前成左虚步，左手持剑与右手剑指同时由外向内环接于胸前，剑锋向左，右手拇指一侧向内，目视剑锋（图5）。

图 3

图 4

图 5

3.金鸡独立

两脚不动，右手接剑，左手松把，变成剑指，然后左腿提膝，右手持剑向上横架于头上，剑锋向左，左手剑指向左侧展出，拇指一侧向上，目视左侧。（图6）

4.横江飞渡

左脚落于左侧一步，身体右转90度，成右弓步，右手持剑由后向前方击刺，剑锋向前，左手剑指架于头左侧上方，拇指一侧向前，目视剑锋。（图7）

图 6

图 7

5.古树盘根

两脚蹍地，身体左转270度，两腿全蹲，成歇步，同时右手持剑由下向左上方画弧，然后向左横刺，剑锋向左，左手剑指上架于头上左则，拇指一侧向前，目视左侧。（图8）

6.海底牵月

起身，右脚向右跨一步，两脚蹍地，身体右转180度，仍成歇步（右腿在前，左腿在后），左臂下落至左侧，剑指指向左侧斜上方，右手持剑向右侧上刺，目视剑锋。（图9）

图 8

图 9

7.金鸡独立

起身，左脚不动，身体左转90度，右腿提膝，右手持剑向上横架于左肩上，左手剑指向前撩出，拇指一侧向右，目视剑指。（图10）

8.仙人指路

右脚向前落一步，两脚踉地，身体左转90度，成右弓步，同时右手持剑随身向前击刺，左手剑指上架于头上左侧，拇指一侧向下，目视剑锋。（图11）

9.玄德挑剑

两脚踉地，身体右转90度，收右脚成丁字步，两腿微蹲，同时右手持剑随身向前劈，然后仰腕挑剑，左手剑指向右护于右手腕部，目视剑锋。（图12）

10.退步绞剑

右脚踏实，向后连退3步，同时右手持剑在胸前下方边退边由内向外绞剑，左手剑指不变。（图13）

图 10

图 11

图 12

图 13

11.回头望月

抬右脚向前跳一步，左腿提膝，同时右手持剑向右下方刺，左臂屈肘抬起，左手剑指亮于胸前（图14）；上动不停，左脚向右落一步，两腿成叉步，右手持剑由下向内收，然后向右点劈，左臂屈肘，左手剑指架于头上左侧，拇指一侧向内，上体稍向右转，目视右侧（图15）。

图 14

图 15

12.左右穿剑

右脚向右移一步，左脚再移于右脚右后侧，两腿成叉步，右手持剑由右向左穿（图16）；上动不停，右脚向右移一步，右手由左向右穿剑（图17）；上动不停，两脚蹍地，身体左转90度，变左脚为虚步，同时右手持剑由右向左斜下刺，左手剑指向右屈肘点指，目视剑锋（图18）。

图 16

图 17

图 18

13.怀抱琵琶

左脚不动，抬右脚上前一步，剑挽顺花，然后两脚踝地，身体右转90度，两腿屈膝全蹲，成歇步，右手持剑沉腕抱于胸前，剑锋斜向上，左手剑指向右，屈肘护于右手腕部，目视右侧。（图19）

14.侠客藏剑

起身，两脚踝地，身体左转270度，抬左脚向前上一步，同时右手持剑向前刺，然后左腿提膝，右手持剑后缩，左手剑指向前撩出，目视剑指。（图20）

15.回头望月

左脚向前落一步，身体右转90度，随即向前劈剑，两脚不动，身体再右转90度，两腿成叉步，右手持剑由前向后撩，剑锋向后，左手剑指向左屈肘撩出，拇指一侧向下，目视后方。（图21）

16.顺风追妖

两脚不动，身体左转90度，随之向前跳一步，成右弓步，同时右手持剑由后向前刺，左手剑指向后展臂撩出，拇指一侧向上，目视剑锋。（图22）

图 19

图 20

图 21

图 22

17.虚步沉剑

抬左脚上前一步，右手持剑挽逆花，然后收左脚为虚步，同时右手持剑向前平抹，挽半花沉剑，剑锋向下，左手剑指向前护于右

手腕部，目视前方。（图23）

18.织女穿梭

左脚后退一步，身体左转90度，抬右脚落于左脚前，两腿成叉步，同时右手持剑在右侧挽花，然后向右抖腕刺剑，剑锋向右，左手剑指向上，屈肘架于头上左侧，拇指一侧向下，目视剑锋。（图24）

图 23

图 24

19.渔公拉网

右脚向左移一步，两脚踉地，身体左转90度，两腿成右弓步，同时右手持剑由前向后撩，剑尖斜向后下方，左手剑指向前撩出，拇指一侧向上，目视剑锋。（图25）

20.拨云出日

右脚不动，抬左脚向前，两腿微蹲，成虚步，右手持剑由后向前画弧一周，然后举剑上架，剑锋向前，左手剑指向前指，拇指一侧向右，目视剑指。（图26）

图 25

图 26

21.雄狮沉尾

左脚踏实，两脚踉地，身体左转90度，两腿成叉步，同时右手持剑由下向上挽花，然后沉剑护于胸前，剑锋向后，左手剑指由前向内收，屈肘护于右手腕部，目视剑锋。（图27）

22.横江飞渡

两脚不动，身体右转270度，两腿成右弓步，同时右手持剑左右挽花，向前方斜刺，左手剑指向后，展臂撩出，拇指一侧向上，目视剑锋。（图28）

图 27

图 28

23.青龙探珠

两脚向前跳一步，左脚落于右脚前，屈膝成叉步，同时右手持剑左右挽花，由上向前下方斜劈，剑锋向下，左手剑指向上架于上方左侧，目视剑锋。（图29）

24.夜叉探海

左脚后退一步，身体左转90度，左腿提膝，右手持剑挽花，向右前下方斜刺，剑锋斜向下，左手剑指向上架于头上左侧，上体向右倾探，目视剑锋。（图30）

图 29

图 30

25.转身劈剑

左脚向左下落一步，两脚踝地，身体左转90度，右脚向前一步，两腿成右弓步，同时右手持剑随身前劈，剑锋向上，左手剑指向前，屈肘护于右手腕内侧，拇指一侧向内，目视剑锋。（图31）

26.雁落沙滩

左脚上前一步，身体向左稍转，两腿成叉步，同时右手持剑向左穿剑，挽花，左手剑指扶柄收把竖剑，剑锋斜向上，目视前方（图32）；上动不停，两腿屈膝全蹲成歇步，同时右手持剑向前探剑，左手剑指向后，展臂撩出，目视剑锋（图33）。

图 31

图 32

图 33

27.老龙伸腰

起身，右脚向前上半步，左脚向后翘起，身体向前俯，同时右手持剑与左手剑指由胸前向前推出，头略抬起，目视前方。（图34）

28.回头谴贼

左脚向前落一步，右脚向右翘起，同时右手持剑挽花，然后举臂架剑，剑锋斜向后，左手剑指向后，展臂撩出，目视后方。（图35）

图 34

图 35

29.八戒探天

右脚向前落一步，屈膝成右弓步，同时右手持剑向前上方斜刺，剑锋向上，左手剑指向前，屈肘护于右臂内侧，拇指一侧向内，目视剑锋。（图36）

30.背后藏剑

两脚踝地，身体左转90度，同时右手持剑挽花，然后向右侧穿剑（图37）；上动不停，右手持剑左右挽花，然后斜背于右臂后，剑锋向上，左臂上举屈肘，左手亮剑指，目视前方（图38）。

31.孙猴戏月

抬两脚向左横跳一步，然后抬左腿向前弹踢，同时右手持剑向上斜刺，剑锋向左上方，左手剑指屈肘护于胸前左侧，拇指一侧向

下，目视左侧。（图39）

图 36

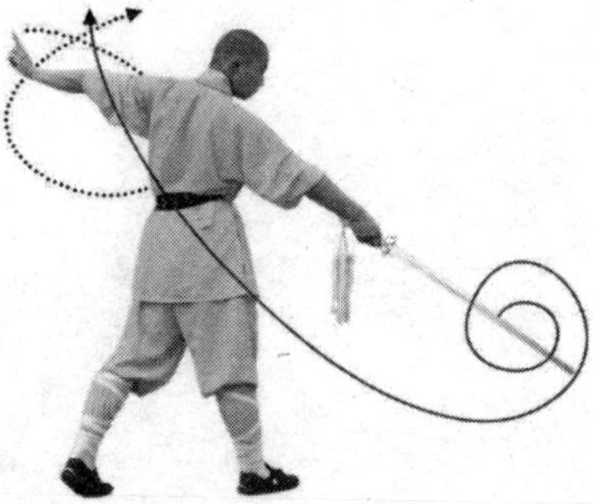

图 37

图 38

图 39

32.横江飞渡

左脚向左落一步，身体左转90度，成左弓步，同时右手持剑向前直刺，剑锋斜向前，左手剑指向左，屈肘架于头上左侧，目视剑锋。（图40）

33.白龙探珠

抬两脚向前跳一步，右脚落于左脚前，成右弓步，同时右手持

剑挽顺花，然后向前直刺，左手剑指向前护于右前臂内侧，拇指一侧向内，目视剑锋。（图41）

图 40

图 41

34.回头望月

左脚上前一步，成左弓步，同时右手持剑绕头向后斜劈，剑锋向后，左手剑指向前展臂撩出，拇指一侧向外，目视后方。（图42）

35.龙潜东海

右脚向前上一步，左脚向后翘起，上体前探，头略抬起，同时两臂向前侧展，剑锋剑指均向前，目视前方。（图43）

图 42

图 43

36.回头转珠

左脚向后落地，两脚踝地，身体左转180度，随之右脚向前上一步，成右弓步，同时右手持剑随身左右挽花，然后转身向后下方绞剑，左手剑指向左撩出，目视剑锋。（图44）

37.大鹏展翅

左脚上前一步，同时右手持剑在身后挽花，然后展臂向内抖剑，剑锋向上，左手剑指向左撩出，目视剑指。（图45）

图 44　　图 45

38.横江飞渡

两脚踝地，身体左转90度，右脚向前上一步，两腿成右弓步，同时右手持剑向前猛刺，剑锋斜向前，左手剑指向后展臂撩出，目视剑锋。（图46）

39.退步绞剑

先退右脚，后退左脚，再退右脚，连退3步，随退步由左向右抖

腕绞剑，左手剑指仍架于头上左侧，目视剑锋。（图47、图48）

图 46

图 47

图 48

40.回头望月

两脚踬地，身体右转180度，右腿屈膝成右弓步，同时右手持剑向右挽半花，然后上体右转，再抖腕向右撩刺，剑锋向右，左臂屈肘，左手亮剑指，拇指一侧向内，目视右后方。（图49）

41.虚步撩剑

抬左脚上于右脚前，成左虚步，同时右手持剑由后向前直刺，然后屈肘缩把，剑锋向前，左手剑指护于剑身内侧，拇指一侧向

内，目视剑锋。（图50）

图 49

图 50

42.剑劈四门

左脚踏实，右脚向前上一步，屈膝成右弓步，同时右手持剑由上向前猛劈，左手剑指上架于头上左侧，目视剑锋（图51）；上动不停，抬左脚向前上一步，两脚蹍地，向右转体180度，两腿微蹲，同时右手持剑向前刺，剑锋斜向前，左手剑指向上架于头上左侧，拇指一侧向下，目视剑锋（图52）；上动不停，两脚蹍地，身体左转90度，同时右手持剑向左前方劈，剑锋向左，左手剑指向上架于头上左侧，拇指一侧向下，目视剑锋（图53）；上动不停，两脚蹍地，身体右转180度，两腿微蹲，两腿成歇步，同时右手持剑向前下方劈，然后再向右侧斜刺，左手剑指向上架于头上左侧，拇指一侧向下，目视剑锋（图54）。

图 51

图 52

图 53

图 54

43.转身撩剑

起身，两脚踉地，身体左转90度，两腿成托步，同时右手持剑由后向前劈，左臂屈肘，左手剑指向前护于右前臂内侧，拇指一侧向内，目视剑锋。（图55）

图 55

44.左右撩剑

左脚上前一步，右腿提膝，同时左臂屈肘，左手剑指护于胸前，右手持剑向右侧刺出，剑锋向右，目视剑锋（图56）；上动不停，右脚落于左脚前一步，身体左转90度，抬左腿向左摆脚提膝，同时右臂上举屈肘，右手抽剑，剑锋向左下方，左手剑指向右护于右前臂内侧，目视左侧（图57）；依照上法再向右向左各上步撩剑一次。

图 56

图 57

45.织女穿梭

左脚下落，右腿提膝，同时右手持剑向右前方直刺，剑锋向右，左手剑指向后撩出（图58）；上动不停，右脚落地，左腿提膝，右手持剑向右下方斜刺，左手剑指架于头上左侧，目视剑锋（图59）。

图 58

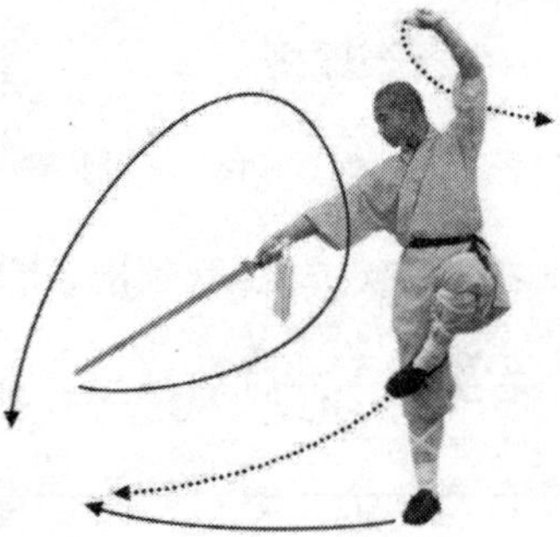

图 59

46.跳步撩剑

落左脚，右脚向右横跳一大步，两腿成右仆步，同时右手持剑向右侧下方劈，剑锋向右，左手剑指向左，展臂撩出，目视剑锋。（图60）

47.力劈华山

起身，两脚踬地，身体左转90度，两腿成左弓步，同时右手持剑向前下方劈，剑锋向前下方，左手剑指指向后上方，拇指一侧向上，目视剑锋。（图61）

图 60

图 61

48.小猴牵月

身体右转90度，左腿提膝，同时右手持剑向右上方斜刺，剑锋向上，左手剑指向右伸出，护于右前臂内侧，目视剑锋。（图62）

49.顽童斗蛇

左脚落于左侧一步，右手持剑向左前下方刺，剑锋向下，左臂屈肘，左手剑指护于腋下，拇指一侧向内，目视剑锋。（图63）

图 62

图 63

50.盘龙卧虎

两脚蹍地，身体左转180度，两腿全蹲，成歇步，同时剑锋绕腰随身右穿，转身后右手持剑竖于胸前，剑锋向上，左手剑指变掌护于剑柄前，拇指一侧向内，目视剑锋。（图64）

图 64

51.小鬼甩扇

起身，右脚向右跨一步，身体左转90度，右手持剑由右向左穿，左手剑指向右，屈肘护于右上臂前，目视左侧（图65）；上动不停，两脚蹍地，身体右转180度，上左脚成左虚步，同时右手持剑随身向前点剑，剑锋向前，左臂屈肘，左手剑指上架于头上左侧，目视剑锋（图66）。

图 65

图 66

52.夜叉探海

右脚向前上一步，两腿成拖步，同时右手持剑向前下方斜刺，左手剑指上架于头上左侧，目视剑锋。（图67）

53.转身交剑

两脚蹍地，身体左转180度，两腿成拖步，右手持剑向前劈，然后反把沉锋，左手向前接握剑柄，目视剑柄。（图68）

图 67

图 68

收 势

左脚后退一步，两脚踫地，身体左转90度，然后收右脚与左脚成并步，同时左手握剑，向左撩劈，然后背于臂后，剑锋向上，右手剑指由上往下画弧，然后附于大腿外侧，身体挺直，目视前方。（图69）

图 69